L'ITALIANO CON I FUMETTI

IL MISTERO DI CASANOVA

Illustrazione di copertina e disegni: Enrico Simonato

Enrico Lovato

direzione editoriale: Massimo Naddeo
redazione: Chiara Sandri
progetto grafico: Lucia Cesarone
impaginazione: Gabriel de Banos
copertina: Lucia Cesarone
illustrazione di copertina e disegni: Enrico Simonato

Printed in Italy
ISBN: 978-88-6182-316-7
Prima edizione: aprile 2014

Alma Edizioni
Viale dei Cadorna, 44
50129 Firenze
tel +39 055 476644
fax +39 055 473531
alma@almaedizioni.it
www.almaedizioni.it

Indice

Personaggi della storia

Olga Petrova, giornalista

Giovanni Casanova, fotografo

Paolo Lepre, commissario di polizia

episodio 1
Venezia mon amour

episodio 1

OH, MA CERTAMENTE! ERO UN PO' DISTRATTA.
NON C'È PROBLEMA. MI CHIAMO ANTONIO. VA A VENEZIA PER TURISMO?

PIACERE, IO SONO OLGA. VADO A ENEZIA PER LAVORO... EHM, POSSO DARTI DEL TU?
MA CERTO! E CHE TIPO DI LAVORO DEVI FARE A VENEZIA?

DEVO SCRIVERE UN ARTICOLO SULLA CITTÀ.
IO CONOSCO MOLTO BENE VENEZIA. VIVO E LAVORO LÌ.

episodio 1
ALLORA FORSE MI PUOI AIUTARE! È LA PRIMA VOLTA CHE VADO A VENEZIA.
DOMANI SI APRE UFFICIALMENTE IL CARNEVALE. LA CITTÀ È PIENA DI EVENTI.
ECCO IL PROGRAMMA! DOMANI C'È L'INAUGURAZIONE CON IL VOLO DELL'ANGELO IN PIAZZA SAN MARCO.
DOPPIA INAUGURAZIONE: CARNEVALE E MOSTRA SU CASANOVA
Domani in piazza San Marco inizia il Carnevale con il tradizionale volo dell'Angelo. La sera ci sarà l'inaugurazione della mostra sui gioielli di Casanova al museo Correr. Il Direttore del museo, Antonio Forner, ha detto che durante il volo dell'Angelo il pubblico potrà ammirare il gioiello della Vergine, uno dei migliori della collezione.
È L'OCCASIONE PER VEDERE IL GIOIELLO DELLA VERGINE. FA PARTE DELLA COLLEZIONE DEL MUSEO DOVE LAVORO.
AH, LAVORI IN UN MUSEO? INTERESSANTE!
SÌ, SONO IL DIRETTORE... E COME DIRETTORE TI INVITO UFFICIALMENTE ALL'INAUGURAZIONE.

episodio 1

STAZIONE DI VENEZIA SANTA LUCIA
POSSO AIUTARTI A PORTARE I BAGAGLI?
GRAZIE MILLE. SEI MOLTO GENTILE.
L'INVITO ALL'INAUGURAZIONE DELLA MOSTRA È ANCORA VALIDO?
MA CERTO! DOMANI SERA...

WOW, CHE MERAVIGLIA!

OLGA, OLGA... DA QUESTA PARTE! SONO QUI!
OLGA PETROVA

episodio 1

AH, ECCO GIOVANNI!
VIENI ANTONIO, TI PRESENTO IL MIO FOTOGRAFO!
E QUELL'UOMO CON OLGA CHI È?
PIACERE, SONO ANTONIO FORNER.
PIACERE, MI CHIAMO GIOVANNI.
MA QUESTO È IL DIRETTORE DEL MUSEO CORRER!
PRENDI OLGA, QUESTO É IL MIO BIGLIETTO DA VISITA. ALLORA TI ASPETTO DOMANI SERA ALLE 19.00 AL MUSEO CORRER.
GRAZIE MILLE, ANTONIO! CI VEDIAMO SICURAMENTE.
ANDIAMO OLGA, PRENDIAMO IL VAPORETTO COSÌ ARRIVIAMO PRIMA ALL'ALBERGO.

episodio 1

IL NOSTRO PROGRAMMA COMINCIA DOMANI CON IL VOLO DELL'ANGELO. PASSO A PRENDERTI PRESTO IN ALBERGO PER ANDARE A PIAZZA SAN MARCO.
POSSO INIZIARE IL MIO ARTICOLO CON QUESTO EVENTO. IL GIORNALE DICEVA CHE IN PIAZZA CI SARÀ UN GIOIELLO DELLA COLLEZIONE DI CASANOVA.

HOTEL SERENISSIMA

BUONGIORNO, HO PRENOTATO UNA TANZA SINGOLA A MIO NOME. MI CHIAMO OLGA PETROVA.
BENVENUTA ALL'ALBERGO SERENISSIMA, SIGNORA PETROVA. HA UN DOCUMENTO?
ECCOLO!
ECCO LA SUA STANZA, BAGNO PRIVATO E UNA BELLISSIMA VISTA SUL CANAL GRANDE.

episodio 2
Il volo dell'Angelo

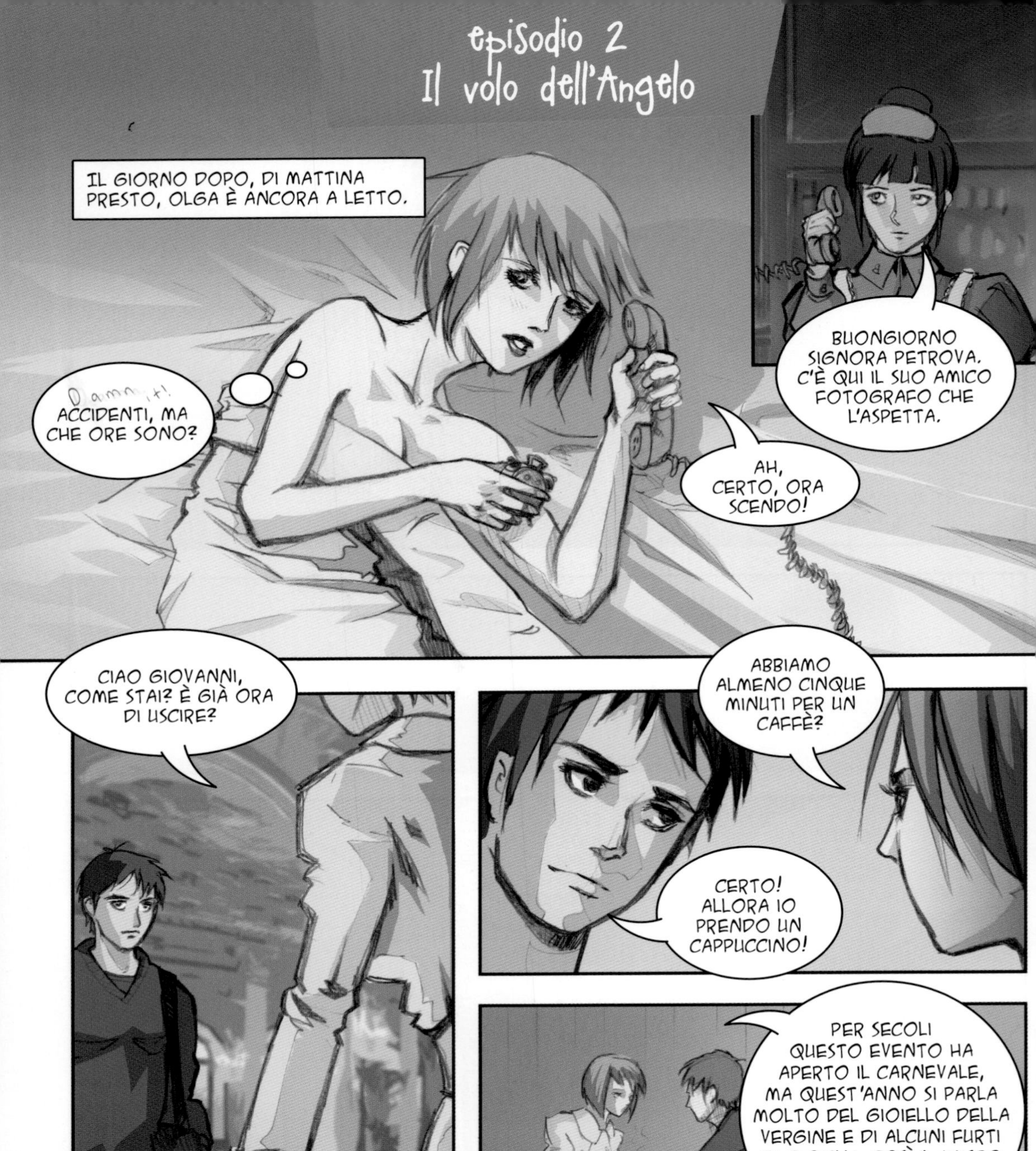

episodio 2

PENSA: DIETRO A QUESTE MASCHERE SI PUÒ NASCONDERE IL LADRO!
NON SOLO I TURISTI, ANCHE UN LADRO CHE GIRA PER LA CITTÀ: IL MIO ARTICOLO SARÀ MOLTO INTERESSANTE!
VIENI, SCATTIAMO ALCUNE FOTO!
CLICK
CLICK
GUARDA CHE BELLA QUESTA MASCHERA!

ACCIDENTI, MA DOV'È ANDATA OLGA?
AH, ECCOLA!
VIENI, ATTRAVERSIAMO IL PONTE, GIRIAMO A DESTRA E SIAMO IN PIAZZA SAN MARCO.
QUESTA CITTÀ È PROPRIO UN LABIRINTO.

episodio 2

ECCO, ORA MI SONO DAVVERO PERSA! DOVE SARÀ GIOVANNI?

SE SEGUO LA GENTE, FORSE ARRIVO IN TEMPO PER L'EVENTO.

QUESTA È PIAZZA SAN MARCO. FINALMENTE SONO ARRIVATA!

episodio 2

QUANTA GENTE! NON SARÀ FACILE TROVARE GIOVANNI. MEGLIO AMMIRARE LO SPETTACOLO!

ECCO LAGGIÙ, IL GIOIELLO DELLA VERGINE. CHE COLLANA MERAVIGLIOSA!
IL VOLO DELL'ANGELO È UN ACROBATA CHE SCENDE DAL CAMPANILE SU UNA CORDA.

episodio 2
L'UOMO MASCHERATO SI GETTA VERSO IL GIOIELLO E LO PRENDE. POI GUARDA LA FOLLA E VEDE OLGA.
AIUTO! AL LADRO!
È IL CASANOVA!
HA RUBATO IL GIOIELLO DELLA VERGINE!

episodio 2

FERMI TUTTI!

PRENDETELO! STA SCAPPANDO CON IL GIOIELLO!

PRENDO QUELLO CHE È MIO
G. Casanova

E QUESTO COS'È? IL LADRO HA PERSO QUALCOSA!
GIÙ LE MANI, SIGNORINA!
QUESTO È MIO, SE NON LE DISPIACE!
COSA SUCCEDE? OLGA!

episodio 2

SONO UNA GIORNALISTA!
CERTO, CERTO... E QUEST'UOMO CHI È?
SONO UN FOTOGRAFO. IO ED OLGA STIAMO PREPARANDO UN ARTICOLO SU VENEZIA.

AH, CHE CURIOSO! E DI SOLITO FOTOGRAFATE I LADRI DI GIOIELLI?
DI SOLITO NO! MA SONO RIUSCITO A FARE ALCUNE FOTO INTERESSANTI.
MMHH MOLTO BENE... VOI POTETE ANDARE, MA QUESTE FOTO RESTANO CON ME.
VIENI OLGA, TORNIAMO ALL'ALBERGO.
MI DISPIACE GIOVANNI. PER COLPA MIA NON HAI PIÙ LE TUE FOTO.

episodio 3
I gioielli di Casanova

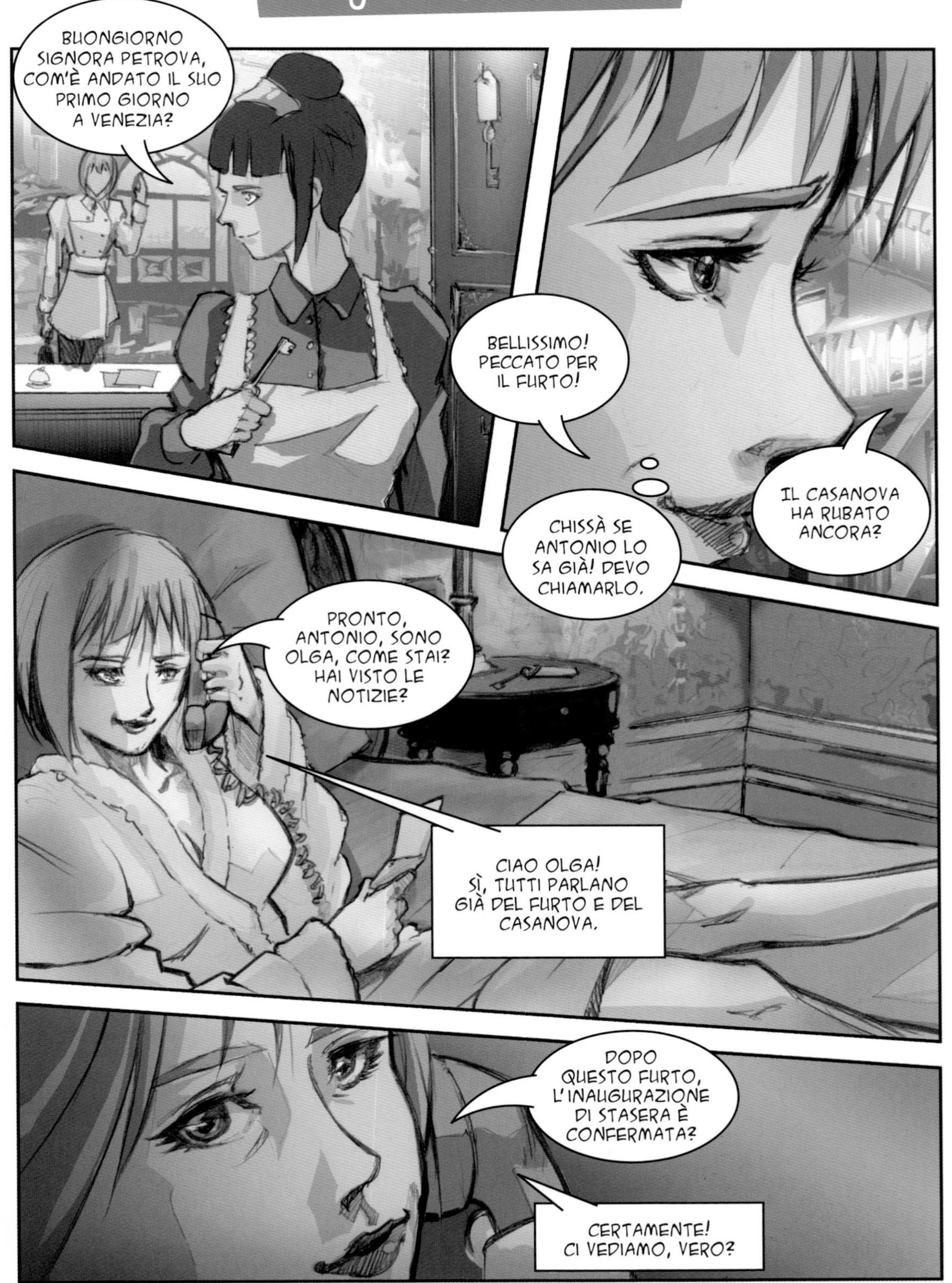

episodio 3

NEL POMERIGGIO OLGA ESCE DALL'ALBERGO PER VEDERE UN PO' LA CITTÀ.
BUON POMERIGGIO, ESCO A FARE QUATTRO PASSI
A PIÙ TARDI SIGNORA PETROVA!
POSSO INIZIARE IL MIO ARTICOLO CON IL FURTO DI QUESTA MATTINA E MAGARI FARE QUALCHE INTERVISTA.
AH, UN NEGOZIO DI MASCHERE!
BUONGIORNO. COSA DESIDERA?
VORREI COMPRARE ALCUNE MASCHERE TIPICHE.

episodio 3

SIGNORINA, LA MASCHERA CHE VEDE È QUELLA DI CASANOVA.
IL FAMOSO SEDUTTORE O IL LADRO DI GIOIELLI?
IL LADRO DI GIOIELLI USA LA STESSA MASCHERA DEL FAMOSO SEDUTTORE VENEZIANO.
MA SECONDO ME NON È UN VERO LADRO: È UN NIPOTE DI CASANOVA. QUEI GIOIELLI DEVONO TORNARE ALLA SUA FAMIGLIA, NON ANDARE IN UN MUSEO!
CHE STORIA INTERESSANTE!
LA COMPRO!
LA USERÒ PER L'INAUGURAZIONE DI QUESTA SERA. SPERO DI NON SPAVENTARE ANTONIO.

episodio 3

MUSEO
È LA SERA DELL'INAUGURAZIONE DELLA MOSTRA DEI GIOIELLI DEL CASANOVA.

CIAO, OLGA! COSA FAI CON QUELLA MASCHERA?

CIAO ANTONIO! SORPRESA!
TI STA BENISSIMO! VIENI, ENTRIAMO AL MUSEO. DEVO MOSTRARTI UNA COSA!
QUESTA È LA CORONA DELLA MOSCOVA.
CASANOVA L'HA REGALATA A UNA SUA AMANTE DI MOSCA.
UNA DONNA RUSSA? PROPRIO COME ME...

episodio 3

ALL' IMPROVVISO LE LUCI DEL MUSEO SI SPENGONO.

AIUTO! ANTONIO, DOVE SEI?
HANNO RUBATO LA CORONA!
ANTONIO È SPARITO!
MA QUELLO NON È GIOVANNI?

episodio 3

PRENDO SOLO
QUELLO CHE
È MIO
G. Casanova

GIOVANNI! COSA STAI FOTOGRAFANDO?

CI VEDIAMO DI NUOVO, OLGA PETROVA!
PRENDETE QUEL FOTOGRAFO, PRESTO!
ACCIDENTI, LA POLIZIA!
PRENDETELO, STA SCAPPANDO!
COMMISSARIO, È GIÀ QUI! MA... OLGA DOVE VAI? PERCHÉ SCAPPI?
POI TI SPIEGO! DEVO AIUTARE GIOVANNI.

episodio 4
Su e giù per i ponti

episodio 4

LASCIATEMI PASSARE...

GIOVANNI, COSA SUCCEDE? CI DEVE ESSERE UN ERRORE!

NESSUN ERRORE! PORTATELO VIA. QUEST'UOMO CI DEVE SPIEGARE ALCUNE COSE!

PRENDETE ANCHE LEI E ANDIAMO IN QUESTURA!
PERCHÉ? IO NON HO FATTO NIENTE.
E ALLORA PERCHÉ OGNI VOLTA CHE C'È UN FURTO, VOI DUE CI SIETE SEMPRE?

episodio 4

QUESTURA DI VENEZIA
ORA FINALMENTE SAPREMO LA VERITÀ.
SIGNORINA PETROVA, LEI CONOSCE BENE QUELL'UOMO?
È UN FOTOGRAFO CHE LAVORA PER IL MIO GIORNALE.
È LUI IL LADRO! ABBIAMO LE PROVE!
INCREDIBILE! COME PUÒ GIOVANNI ESSERE IL CASANOVA?

episodio 4

QUESTA È LA MIA TEORIA. GIOVANNI RUBA I GIOIELLI PERCHÉ SECONDO LUI APPARTENGONO ALLA SUA FAMIGLIA.
I BIGLIETTINI SONO INDIZI PREZIOSI!
"PRENDO SOLO QUELLO CHE È MIO"

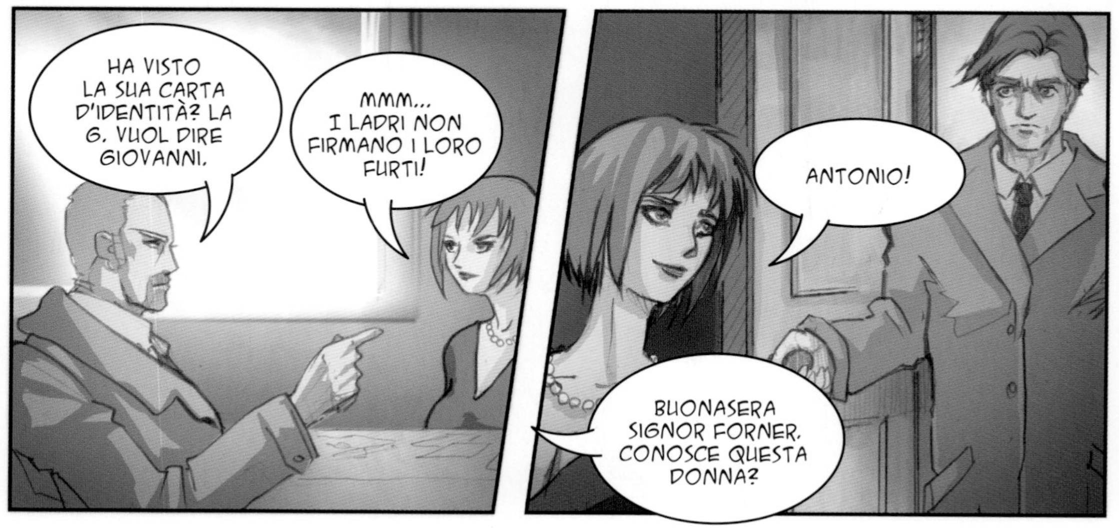

HA VISTO LA SUA CARTA D'IDENTITÀ? LA G. VUOL DIRE GIOVANNI.
MMM... I LADRI NON FIRMANO I LORO FURTI!
ANTONIO!
BUONASERA SIGNOR FORNER. CONOSCE QUESTA DONNA?

CERTO CHE LA CONOSCO, COMMISSARIO! OLGA, COSA TI HANNO FATTO?
HANNO PRESO GIOVANNI!
ALLORA È LUI IL LADRO? È LUI IL CASANOVA?

NO, ANTONIO, NON HAI CAPITO... C'È UN ERRORE! DEVI AIUTARLO!
MA IO NON POSSO FARE NIENTE PER GIOVANNI.
COMMISSARIO, ORA CHE AVETE PRESO IL LADRO, IO E LA SIGNORINA PETROVA POSSIAMO ANDARE, VERO?
CERTAMENTE, SIGNOR FORNER. NON HO ALTRE DOMANDE DA FARE.

episodio 5
La perla del Mediterraneo

episodio 5

AD ESEMPIO, PERCHÉ IL LADRO USA LA STESSA MASCHERA DEL FAMOSO SEDUTTORE?
FORSE PERCHÉ ANCHE I SEDUTTORI SONO DEI LADRI. FORSE PERCHÉ QUELLA MASCHERA È COME UNA FIRMA.
SONO UNA GIORNALISTA CHE FA TROPPE DOMANDE. GIOVANNI NON TI È SIMPATICO, VERO?

PREFERISCO NON PARLARNE.
IL CONTO PER FAVORE!

episodio 5

GUARDA, QUESTO È UNO DEI POSTI PIÙ ROMANTICI DI VENEZIA, IL PONTE DEI SOSPIRI.

I VENEZIANI NON HANNO MAI ACCETTATO LA VITA AMOROSA DI CASANOVA.

E ALLA FINE LO HANNO MESSO IN PRIGIONE.
MA LUI È RIUSCITO A SCAPPARE E AD ARRIVARE IN FRANCIA.

ANCH'IO FRA POCHI GIORNI PARTIRÒ PER MOSCA.

episodio 5

ALLORA NON POSSO PERDERE TEMPO. ECCO IL MIO REGALO D'ADDIO!
GRAZIE! NON SO COSA DIRE...

SSHH... APRILO QUANDO SARAI LONTANA, COSÌ TI RICORDERAI DI VENEZIA.
NON SARÀ FACILE DIMENTICARE QUESTA AVVENTURA.

VUOI ESSERE LA MIA REGINA DELLA MOSCOVA?
TI PREGO ANTONIO... VORREI RESTARE, MA NON POSSO.
ALLORA TI INVITO PER UN BRINDISI A CASA MIA! VIENI!

episodio 5

RACCONTAMI QUALCOS'ALTRO DI CASANOVA...
VA BENE! CASANOVA NON ERA SOLTANTO UN SEDUTTORE...
...MA ANCHE UN GENTILUOMO COLTO E INTELLIGENTE.

FORSE PER QUESTO MOTIVO IL POPOLO NON LO AMAVA.
VIENI, QUESTO È IL MIO APPARTAMENTO.

ACCIDENTI! MA COS'È TUTTO QUESTO DISORDINE?

episodio 5

HA RUBATO LA MIA PERLA DEL MEDITERRANEO! MALEDETTO CASANOVA!
COSA È SUCCESSO QUI? PERCHÉ PARLI DEL CASANOVA?

GUARDA, QUESTO È IL SUO BIGLIETTO!
PRENDO
ELLO
HE È MIO

PERCHÉ QUESTO GIOIELLO ERA A CASA TUA?

AH, ERA UN REGALO PERSONALE DEL COLLEZIONISTA CHE HA VENDUTO I GIOIELLI AL MUSEO!

DEVO CHIAMARE SUBITO LA POLIZIA. OLGA, È MEGLIO SE TORNI ALL'ALBERGO. NON DEVONO TROVARTI QUI.

episodio 6
Lasciare Venezia

episodio 6

PUÒ CHIAMARMI UN TAXI PER L'AEROPORTO, PER FAVORE?
LA POSSIAMO ACCOMPAGNARE NOI!
COMMISSARIO LEPRE... COSA FA QUI?

VORREI SCUSARMI CON LEI PER QUELLO CHE È SUCCESSO!
HO VISTO CHE IL CASO DEI FURTI DI GIOIELLI NON È ANCORA CHIUSO.
È SOLO QUESTIONE DI TEMPO! LE MIE TEORIE SONO SEMPRE GIUSTE.

episodio 6

DICONO CHE A VENEZIA SI TORNA SEMPRE. ARRIVEDERCI E BUON VIAGGIO!
ARRIVEDERCI, COMMISSARIO.
BIGLIETTO E PASSAPORTO, PER FAVORE!

VI PREGHIAMO DI ALLACCIARE LE CINTURE DI SICUREZZA!
CHE CITTÀ MERAVIGLIOSA. MI MANCHERÀ.

episodio 6

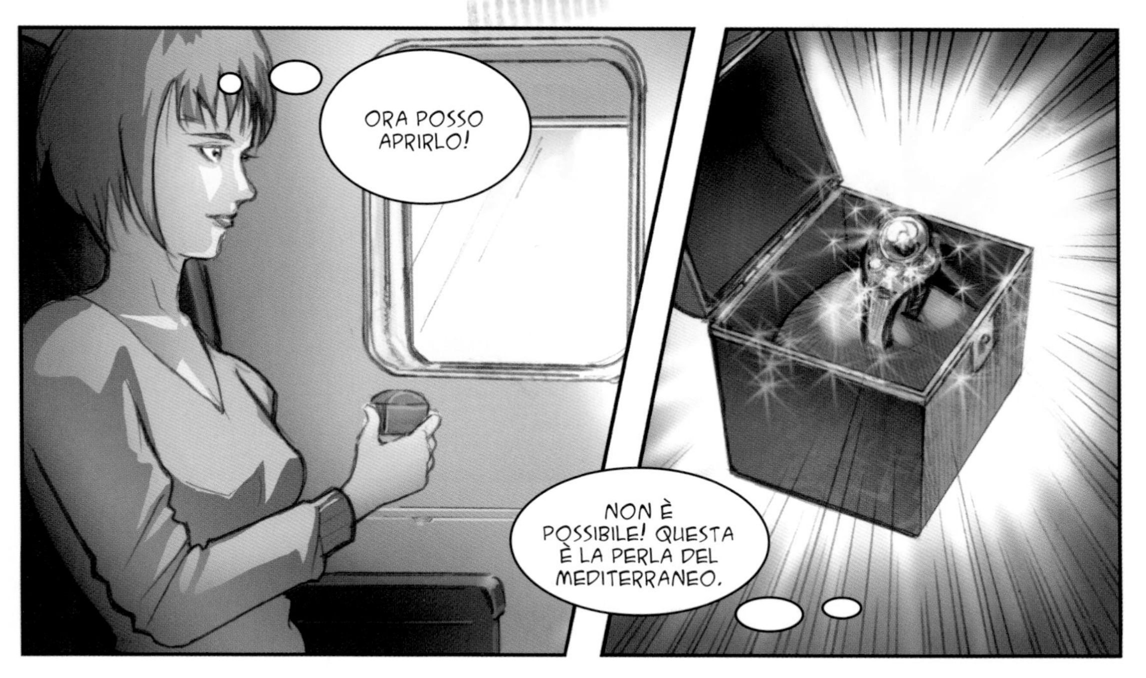
ORA POSSO APRIRLO!
NON È POSSIBILE! QUESTA È LA PERLA DEL MEDITERRANEO.

...PER NON DIMENTICARE VENEZIA
MA ALLORA IL CASANOVA È ANTONIO!

OLGA RICORDA I MOMENTI CON ANTONIO E POCO A POCO SI ADDORMENTA.

episodio 6

BENVENUTI ALL'AEROPORTO INTERNAZIONALE DI MOSCA.
DI NUOVO IN RUSSIA!

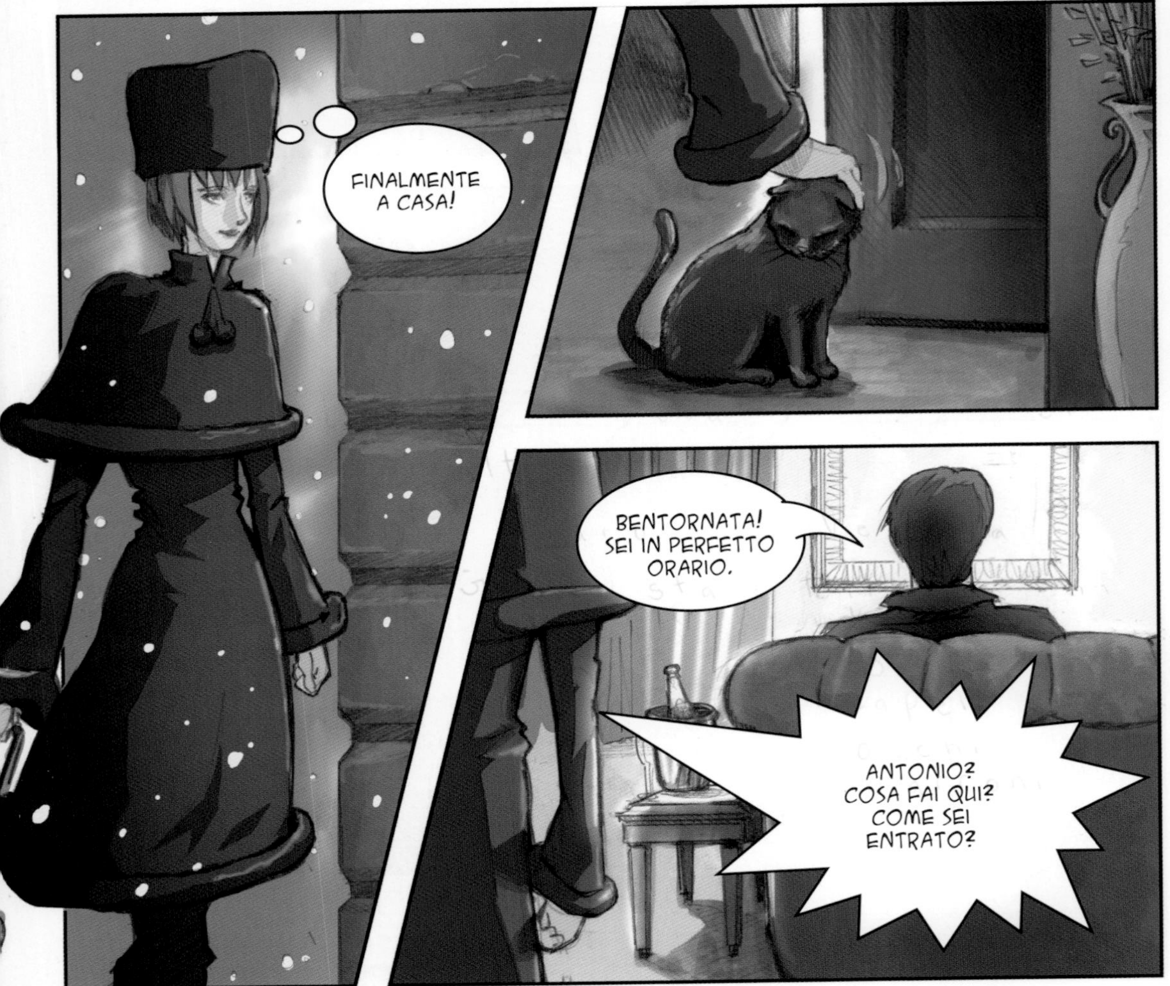
FINALMENTE A CASA!
BENTORNATA! SEI IN PERFETTO ORARIO.
ANTONIO? COSA FAI QUI? COME SEI ENTRATO?

VENEZIA NON È PIÙ SICURA PER ME! PRIMA O POI SCOPRIRANNO CHI È IL VERO CASANOVA. IL MIO PIANO ERA RUBARE I GIOIELLI E SCAPPARE IN SUD AMERICA. MA POI HO INCONTRATO TE!
E QUESTO GIOIELLO COSA SIGNIFICA?

COSA?
MI SEMBRA CHIARO, NON HAI ANCORA CAPITO?
IO HO RUBATO I GIOIELLI. TU HAI RUBATO IL MIO CUORE.
OLGA, VUOI ESSERE LA MIA REGINA DELLA MOSCOVA?

uno

Leggi il primo episodio e rispondi alle domande.

1. Perché Olga va a Venezia?
- [x] a. Per lavoro.
- [ ] b. Per turismo.
- [ ] c. Per amore.

2. In quale città lavora Antonio?
- [ ] a. A Milano.
- [ ] b. A Mosca.
- [x] c. A Venezia.

3. Con quale evento inizia il Carnevale di Venezia?
- [x] a. Con il volo dell'Angelo.
- [ ] b. Con la mostra su Casanova.
- [ ] c. Con un concerto.

4. Chi aspetta Olga alla stazione?
- [x] a. Un fotografo.
- [ ] b. Un giornalista.
- [ ] c. Un tassista.

due

Lascia libera la fantasia e completa la tabella.

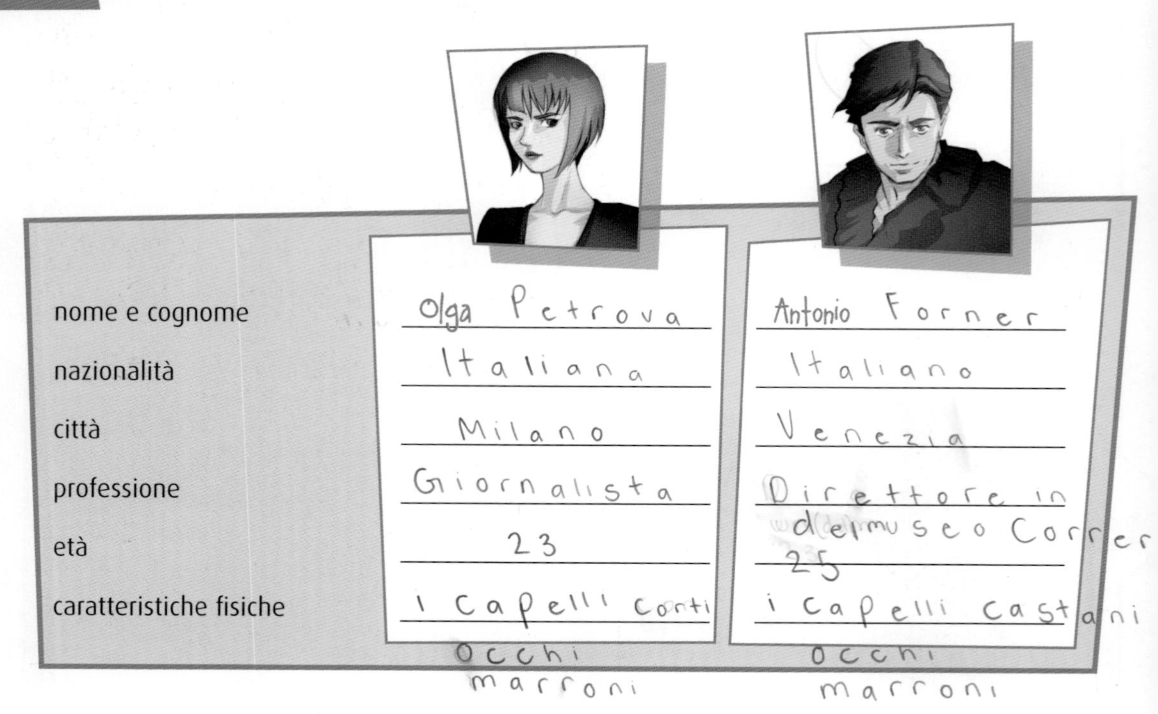

nome e cognome	Olga Petrova	Antonio Forner
nazionalità	Italiana	Italiano
città	Milano	Venezia
professione	Giornalista	Direttore in del museo Correr
età	23	25
caratteristiche fisiche	i capelli corti occhi marroni	i capelli castani occhi marroni

esercizi / episodio 1

tre

Scrivi le parole della lista al posto giusto.

Il Carnevale di Venezia

Il Carnevale di Venezia è uno dei più conosciuti carnevali del mondo. Le sue origini sono molto antiche. In passato la Repubblica di Venezia, come succedeva nell'antica Roma, offriva alla popolazione un periodo dedicato interamente al divertimento e ai festeggiamenti. Durante il Carnevale, Venezia si popolava di colori e di maschere di personaggi bizzarri. In città arrivavano moltissimi stranieri che si mescolavano ai veneziani per festeggiare e ballare in maschera. Attualmente le manifestazioni iniziano il sabato precedente al Giovedì Grasso e finiscono con il Martedì Grasso, con durata complessiva di undici giorni. Come in passato, ancora oggi il Carnevale di Venezia rappresenta una grandiosa festa popolare per un pubblico di tutte le età.

Come si festeggia il Carnevale nella tua città? Conosci altre feste simili nel mondo?

quattro

Completa le battute del dialogo sottolineando la forma corretta.

Antonio: Signorina, **posso / voglio** sedermi qui?

Olga: Oh, ma certamente!

Antonio: Mi chiamo Antonio. Va a Venezia per turismo?

Olga: Piacere, io sono Olga. Vado a Venezia per lavoro... ehm, **posso / voglio** darti del tu?

Antonio: Ma certo! E che tipo di lavoro **devi / sai** fare a Venezia?

Olga: **Devo / So** scrivere un articolo sulla città.

Antonio: Io conosco molto bene Venezia. Vivo e lavoro lì.

Olga: Allora forse mi **puoi / devi** aiutare! È la prima volta che vado a Venezia.

cinque

Guarda la vignetta, lascia libera la fantasia e scrivi nel balloon cosa pensa Antonio.

sei

***Sottolinea** l'errore presente in ogni frase. Poi scrivi la forma corretta, come nell'esempio.*

a. Posso iniziare il articolo con questo evento.
Posso iniziare l'articolo con questo evento.

b. È la prima volta che vado in Venezia.
È prima volta che vado in Venezia.

c. Ho prenotato una stanza su mio nome.
Ho prenotato una stanza a mio nome.

d. Domani ci sono l'inaugurazione in piazza San Marco.
Domani c'è l'inaguarzione in piazza San Marco.

e. Posso dirti del tu?
Posso dici del tu?

f. Il programma inizia tra il volo dell'Angelo.
La programma inizia tra il volo dell'Angelo.

Riassunto episodio 1

Completa il testo con le parole mancanti.

Olga è una giornalista russa che sta andando a Venezia per scrivere un articolo sul Carnevale. Durante il viaggio in treno conosce Antonio, il direttore del museo Correr. Olga vuole anche conoscere la città e per questo Antonio la invita all'inaugurazione della P. San Marco sui gioielli di Casanova che lui ha organizzato. Il giorno dopo inizierà il Carnevale di Venezia con uno degli eventi più famosi, il volo dell'Angelo. In questa occasione i turisti potranno ammirare anche il famoso gioiello della Vergine. Alla stazione di Venezia Olga incontra Giovanni, il fotografo che la accompagnerà per la città. Olga e Giovanni salutano Antonio e vanno verso l'giornalista dove Olga ha prenotato una camera.

uno

Leggi il secondo episodio e rispondi alle domande.

1. Quando Giovanni arriva in albergo
- ☐ a. Olga sta facendo colazione.
- ☐ b. Olga sta dormendo.
- ☐ c. Olga è pronta per uscire.

2. Olga arriva in piazza San Marco
- ☐ a. con Giovanni.
- ☐ b. con Antonio.
- ☐ c. da sola.

3. L'acrobata che scende dal campanile su una corda
- ☐ a. ruba il gioiello della Vergine.
- ☐ b. cade.
- ☐ c. dà il gioiello della Vergine a Olga.

4. Dopo il furto, Olga
- ☐ a. viene arrestata.
- ☐ b. incontra Antonio.
- ☐ c. torna in albergo con Giovanni.

due

Completa le battute con l'ausiliare** essere **o** avere **e la desinenza corretta del participio passato, come nell'esempio.

tre

Conosci Venezia? Abbina le immagini ai luoghi corrispondenti, come nell'esempio.

1. PONTE DEI SOSPIRI		a. Simbolo di Venezia, è il ponte più antico e famoso che attraversa il Canal Grande.
2. BASILICA DI SAN MARCO		b. È uno dei ponti più famosi di Venezia. Collega il Palazzo Ducale con la prigione dei Piombi.
3. PONTE DI RIALTO		*c. Capolavoro del gotico veneziano, è uno dei simboli della città.*
4. PALAZZO DUCALE		d. È la chiesa principale della città, raccoglie le opere di grandi artisti italiani ed europei.

1/ a ; 2/ d ; 3/ b ; 4/ c .

Il volo dell'Angelo

Il volo dell'Angelo apre le manifestazioni del Carnevale veneziano. Appare per la prima volta nel Cinquecento quando, tra i vari spettacoli del Carnevale, si organizza un evento con un acrobata turco che riesce a camminare sopra una corda dal campanile di San Marco fino al balcone del Palazzo Ducale. Per molti anni in questo spettacolo apparivano acrobati di professione, ma poco a poco hanno preso il loro posto i giovani veneziani che in questo modo danno prova del loro coraggio.

Quali sono le feste popolari più importanti nella tua città? Conosci altre feste popolari italiane?

quattro

Guarda la vignetta, lascia libera la fantasia e scrivi nel balloon cosa pensa di fare Giovanni per recuperare le fotografie.

cinque

qui - here lì/là - there

Completa le battute con le espressioni della lista.

di solito | già (already) | ora | spesso | tra

1. Reception: Buongiorno Signora Petrova. C'è qui il suo amico fotografo che l'aspetta.
   Olga: Ah, certo, ____ora____ scendo!
2. Olga: Ciao Giovanni, come stai? È ____già____ ora di uscire?
   Giovanni: Sì, il volo dell'Angelo comincia ____tra____ un'ora.
3. Giovanni: Si parla molto del gioiello della Vergine e di alcuni furti di gioielli. Così il museo Correr è ____spesso____ in prima pagina.
4. Commissario Lepre: E ____di solito____ fotografate i ladri di gioielli?

esercizi / episodio 2

sei

Completa le battute con le parole della lista.

sette

Completa le battute <u>sottolineando</u> le preposizioni corrette.

Olga: Ciao Giovanni, come stai? È già ora da / di / per uscire?
Giovanni: Sì, il volo dell'Angelo comincia per / da / tra un'ora.
Olga: Abbiamo almeno cinque minuti con / per / a un caffè?
Giovanni: Certo! Allora io prendo un cappuccino!

Riassunto episodio 2

Completa il testo con le parole mancanti.

Il giorno dopo Giovanni passa a ______ Olga in albergo. Mentre bevono un cappuccino, Giovanni spiega a Olga che negli ultimi giorni un ladro gira per la città e che ci sono stati alcuni furti di gioielli nel museo Correr. Per questo non possono perdersi la doppia ______ del Carnevale e della mostra dei gioielli di Casanova. Escono dall'albergo ma dopo un po' Olga si ______. La giornalista segue la gente e arriva in piazza San Marco dove sta cominciando il volo dell'______. L'acrobata scende su una corda fino al centro della piazza, ma all'improvviso succede qualcosa. L'acrobata è un ladro mascherato che ruba il gioiello della Vergine e scappa. La ______ ferma Olga e Giovanni per fare alcune domande. Poi li lascia andare.

uno

Leggi il terzo episodio e metti in ordine cronologico le frasi, come nell'esempio.

	→	Olga vede Giovanni che fa alcune foto e poi corre via.
	→	Olga chiama Antonio per raccontargli quello che ha visto.
	→	All'improvviso un ladro mascherato ruba la corona.
	→	Giovanni accompagna Olga all'albergo.
	→	Di sera Olga va all'inaugurazione dell'esposizione dei gioielli di Casanova.
	→	Antonio riceve Olga e le mostra la corona della Moscova.
	→	Olga entra in un negozio di maschere.

due

Leggi la battuta di Olga e rispondi alla domanda.

Cosa significa l'espressione "esco a fare quattro passi"?

- ☐ a. Vado a fare una breve passeggiata.
- ☐ b. Vado a fare sport.

Le maschere veneziane

La Repubblica di Venezia dichiara il Carnevale festa pubblica nel 1296. Da quel momento nella città comincia a svilupparsi l'uso della maschera e del travestimento. La società veneziana aveva forti divisioni sociali e la maschera nascondeva ogni forma di appartenenza a classi sociali, sesso, religione. Con il Carnevale a Venezia nasce e si sviluppa un commercio molto importante di maschere e costumi. Gli artigiani che creano le maschere si chiamano *mascareri* e sono dei veri artisti. Oggi le maschere veneziane sono riconosciute in tutto il mondo per la loro unicità.

Conosci alcune maschere italiane? Nel tuo paese quali sono le maschere più popolari?

tre

Scrivi le parole della lista al posto giusto.

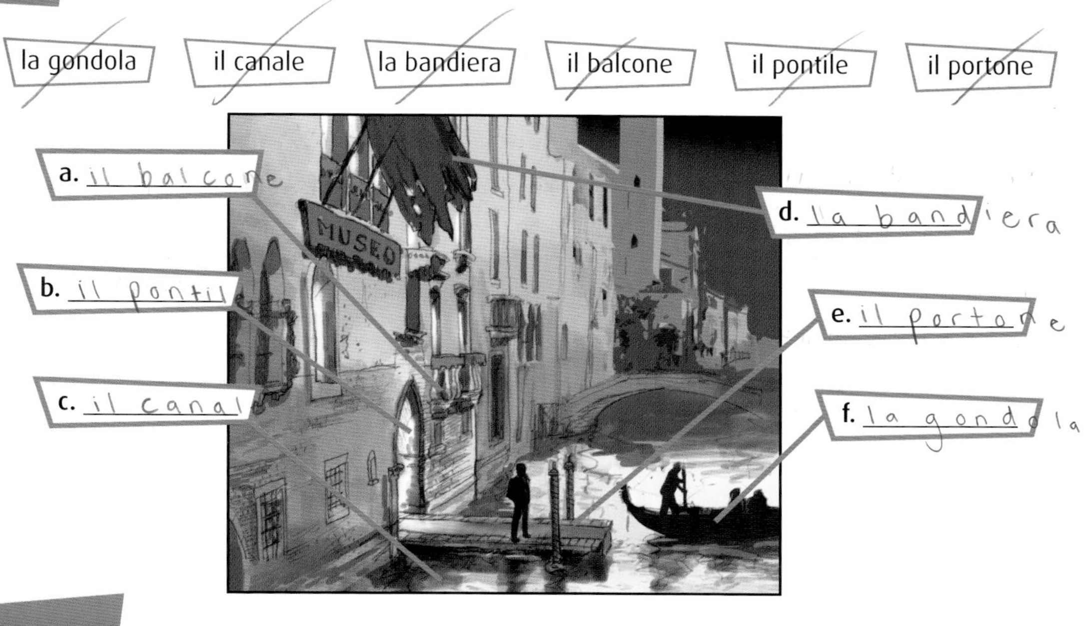

la gondola | il canale | la bandiera | il balcone | il pontile | il portone

a. il balcone
b. il pontile
c. il canale
d. la bandiera
e. il portone
f. la gondola

quattro

Metti in ordine le parole delle battute del dialogo.

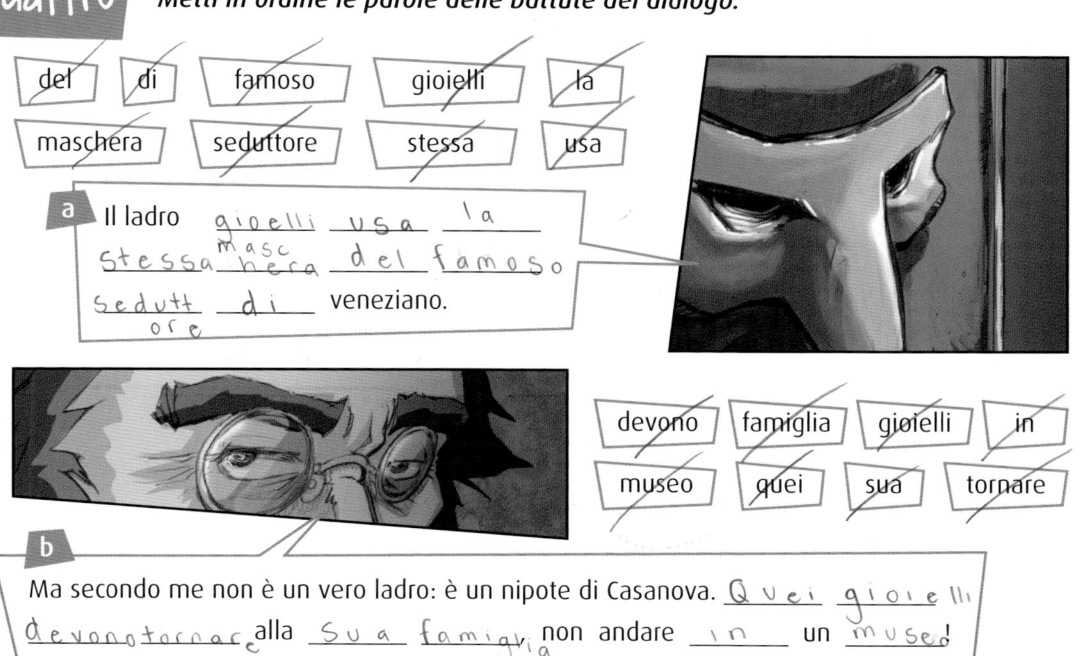

del | di | famoso | gioielli | la | maschera | seduttore | stessa | usa

a Il ladro gioielli usa la stessa maschera del famoso seduttore di veneziano.

devono | famiglia | gioielli | in | museo | quei | sua | tornare

b Ma secondo me non è un vero ladro: è un nipote di Casanova. Quei gioielli devono tornare alla sua famiglia non andare in un museo!

cinque

Riscrivi le frasi utilizzando i pronomi necessari, come nell'esempio.

a. Ho comprato una maschera. Userò la maschera per l'inaugurazione.

Ho comprato una maschera. La userò per l'inaugurazione.

b. Vado da Antonio questa sera. Spero di non spaventare Antonio.

Vado dal Antonio questa sera. Spero di non spaventare Antonio.

c. Ho chiamato Antonio. Ho detto a Antonio quello che ho visto.

Ho chiamato Antonio. Ho detto Antonio a quello che ho visto

d. Il ladro ruba i gioielli. Ruba i gioielli perché devono tornare alla sua famiglia.

Il ladro ruba i gioielli. Ruba i gioielli perchè devono tornare dalla sua famiglia.

e. Chissà se Antonio sa già del furto. Devo chiamare Antonio.

f. Questa è la corona della Moscova. Casanova ha regalato la corona della Moscova a una sua amante di Mosca.

sei

Completa le battute sottolineando la forma corretta.

sette

Metti in ordine le battute e ricostruisci un possibile dialogo tra Olga e il venditore di maschere.

[7] Venditore: 15 euro.

[8] Olga: La compro.

[3] Venditore: Ne abbiamo di molti tipi. Quale preferisce?

[6] Olga: Che bella! Quanto costa?

[5] Venditore: Bene, allora questa può andare bene.

[2] Olga: Buongiorno, vorrei comprare una maschera.

[1] Venditore: Buongiorno, cosa desidera?

[4] Olga: Ne vorrei una tipica veneziana.

Riassunto episodio 3

Completa il testo con le parole mancanti.

Dopo il furto del gioiello della Vergine, Giovanni accompagna Olga in albergo. Olga chiama Antonio per sapere se è confermata l'inaugurazione. Poi esce a camminare per la città e entra in un negozio di maschere. Olga compra una maschera e di sera va all'inaugurazione della mostra sui gioielli di Casanova. Antonio la riceve contento, ma mentre stanno ammirando la corona della Moscova, il museo cade nel buio. Un uomo mascherato entra e ruba il prezioso gioiello. Quando torna la luce Olga non trova più Antonio e vede Giovanni che fa delle fotografie. All'improvviso entra la polizia e Giovanni scappa.

uno

Leggi il quarto episodio e scrivi nell'ultima colonna chi compie le azioni seguenti. Poi mettile in ordine cronologico nella prima colonna, come nell'esempio

Antonio | Olga | il commissario Lepre | i poliziotti

1	→	esce dal museo e segue i poliziotti	→	Olga
8	→	esce dalla questura con Olga	→	Antonio
2	→	prendono Giovanni	→	i poliziotti
6	→	non crede alla teoria del commissario	→	Olga
4	→	portano Olga in Questura	→	i poliziotti
5	→	fa alcune domande a Olga per vedere se conosce bene Giovanni	→	il commissario Lepre
7	→	ad un certo punto arriva in questura	→	Antonio
3	→	arriva e ordina ai poliziotti di arrestare Olga	→	il commissario Lepre

due

Completa le battute con gli aggettivi possessivi della lista.

loro | mio | mio | sua

tre

Completa le frasi coniugando al presente le coppie di verbi della lista. Attenzione: i verbi non sono in ordine.

girare / arrivare | prendere / portare | attraversare / andare | inseguire / seguire

a. Olga e Giovanni ________ il ponte e ________ in piazza San Marco.
b. I poliziotti ________ Giovanni e Olga li ________ su e giù per i ponti.
c. Olga ________ a destra e ________ in una piazzetta.
d. I poliziotti ________ Olga e la ________ in questura.

quattro

Ricostruisci la teoria del commissario Lepre.

alla | appartengono | è | gioielli | i | la
lui | mia | perché | ruba | sua | teoria

Questa ________ ________ ________ ________. Giovanni ________ ________ ________ ________ secondo ________ ________ ________ ________ famiglia.

esercizi / episodio 4

Su e giù per i ponti

Venezia è una città molto particolare. È divisa in sei quartieri che si chiamano *sestieri*. Ma per muoversi nella città bisogna sapere che le vie si chiamano *calli*, le piazze si chiamano *campi* (con l'eccezione di piazza San Marco) e le piazze piccole, *campielli*. Poi ci sono i ponti che attraversano i canali, che sono le vie d'acqua dove passano le barche e le gondole. Per i canali più grandi passa il vaporetto, l'autobus della città. Ai lati dei canali ci possono essere delle rive, che si chiamano *fondamenta*, dove la gente può passeggiare. Le case antiche dei nobili veneziani si chiamano *Ca'* (Ca' Foscari, Ca' Rezzonico) e a volte per andare da una parte all'altra di una casa si deve passare per un *sottoportego*, che è un pezzo di via che si trova al di sotto delle abitazioni e spesso porta in una *corte*, cioè una piccola piazza circondata dalle case con al centro un pozzo.

Come immagini Venezia? Che differenze ci sono con la tua città?

cinque

Scrivi le parole della lista al posto giusto.

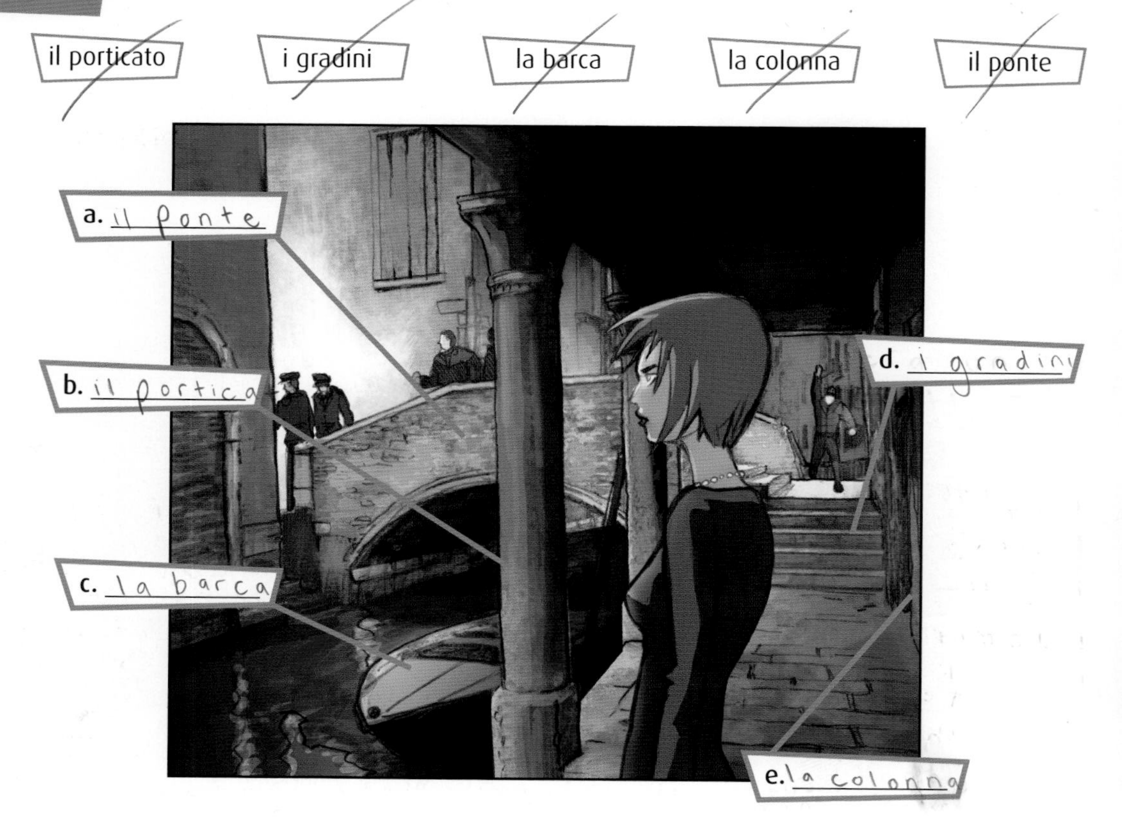

sei

Completa il cruciverba.

Orizzontali →

1. Il primo furto di Casanova avviene in piazza ______________.
4. A Venezia Olga compra una ______________ da Casanova.
7. Olga e Antonio si conoscono in ______________.
10. Come si chiama l'albergo dove alloggia Olga?
11. Il Carnevale di Venezia si apre con il ______________ dell'Angelo.

Verticali ↓

2. Antonio lavora in un ______________.
3. Come si chiama il giornale che legge Antonio?
5. Che lavoro fa Giovanni?
6. Qual è il cognome del commissario?
8. Da quale città viene Olga?
9. Un saluto informale.

Riassunto episodio 4

Completa il testo con le parole mancanti.

Olga segue i poliziotti che vogliono prendere Giovanni. Esce dal museo e corre per la città. Alla fine la polizia riesce a catturare Giovanni. Sul posto arriva il commissario Lepre che ordina ai poliziotti di prendere anche Olga e di portarla in questura. Qui il commissario Lepre fa alcune domande a Olga per vedere se conosce davvero Giovanni. Infatti il commissario ha una sua teoria sui furti. Secondo lui il ladro è Giovanni che ruba i gioielli perché appartengono ai suoi antenati. Il cognome di Giovanni è proprio Casanova e questo è un indizio importante. Olga però ha dei dubbi. In quel momento entra Antonio che conosce il commissario Lepre e gli chiede di lasciare libera la giornalista. I due escono e camminano per la città.

esercizi / episodio 5

uno

Leggi il quinto episodio e segna se le frasi seguenti sono vere o false.

	VERO	FALSO
1. Antonio invita Olga a cena.	✓	
2. Antonio non crede alla teoria del commissario Lepre.		✓
3. Casanova scappa da una prigione francese e torna a Venezia.		✓
4. Olga deve tornare a Mosca.		✓
5. Antonio dà un regalo a Olga.	✓	
6. Antonio invita Olga a casa sua.	✓	
7. La perla del Mediterraneo è al museo Correr.		✓

due

Trasforma le frasi dal presente al passato (utilizzando il passato prossimo e l'imperfetto).

PRESENTE	PASSATO
Casanova è molto conosciuto a Venezia.	Casanova era molto conosciuto a Venezia.
Molte persone non accettano la sua condotta immorale.	Molte persone non accettavano la sua condotta immorale.
Casanova è un famoso seduttore.	Casanova era un famoso seduttore.
Ma è anche un uomo colto e intelligente.	Ma era anche un uomo colto e intelligente
Alla fine i veneziani lo mettono in prigione.	Alla fine i veneziani lo hanno messo in prigi
Ma Casanova riesce a scappare e ad andare in Francia.	Ma Casanova è riuscito a scappare e ad andare in Francia

re

Completa le battute coniugando all'imperativo informale i verbi della lista. Attenzione: i verbi non sono in ordine.

aprire + **lo** | guardare | raccontare + **mi**

1

2

3

Casanova

Giacomo Casanova nasce il 2 Aprile del 1725 a Venezia da una famiglia di attori. Studia giurisprudenza e grazie ad alcune amicizie comincia a frequentare la ricca borghesia veneziana. La sua vita brillante provoca molte invidie nella gente e così decide di scappare a Parigi. Dopo alcuni anni torna a Venezia ma è accusato di ateismo e di libertinaggio. Viene messo nella prigione dei Piombi da dove riesce a scappare di nuovo. Grande viaggiatore e amante della "dolce vita" è arrestato a Parigi per bancarotta, ma lasciato libero dopo pochi giorni. Durante i suoi viaggi Casanova scrive la sua biografia in cui racconta le sue avventure. La sua personalità, magnetica ed affascinante, diventerà famosa in tutto il mondo.

A cosa pensi quando senti il cognome Casanova?

→ "Cowboy Casanova" una canzone di Carrie Underwood

esercizi / episodio 5

quattro

Guarda la vignetta, lascia libera la fantasia e scrivi nel balloon quale regalo pensa di ricevere Olga.

cinque

Completa la storia dei gioielli di Casanova con le espressioni della lista.

alla fine | dopo | fa | per molto tempo | più tardi

I gioielli sono spariti __dopo__ la morte di Casanova. __Per molto tempo__ nessuno ha più saputo niente. Poi, un anno __fa__, il museo Correr li ha comprati da un collezionista. __Più tardi__ il collezionista ha regalato ad Antonio uno dei gioielli. Così __alla fine__ i gioielli sono tornati a Venezia.

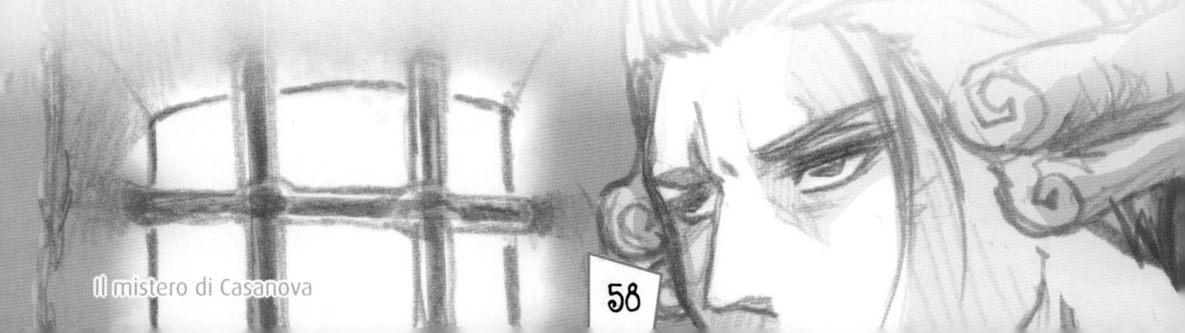

sei *Abbina le parole alle immagini, come nell'esempio. Poi rispondi alla domanda.*

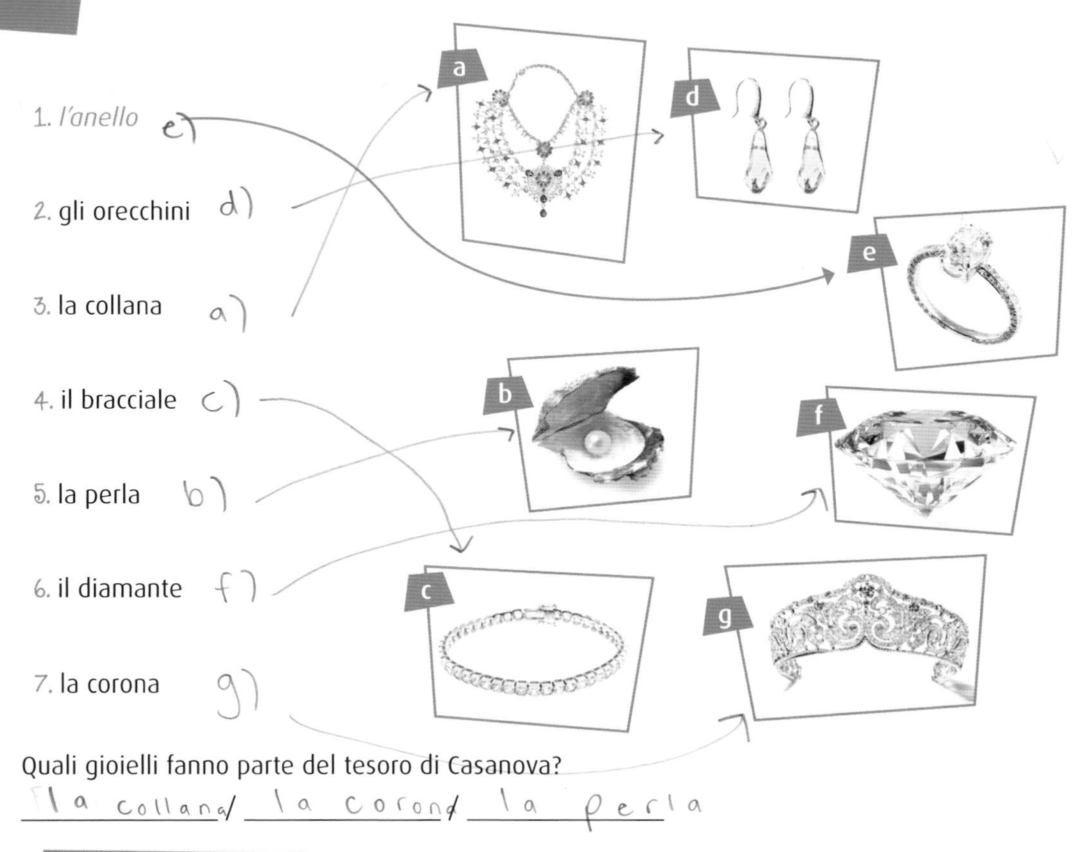

Quali gioielli fanno parte del tesoro di Casanova?

____________ ____________ ____________

Riassunto episodio 5

Completa il testo con le parole mancanti.

Antonio invita Olga a ________ per dimenticare quello che è successo. Antonio spiega a Olga la sua ________ sui furti. Secondo lui il commissario Lepre ha ragione. Il ladro è Giovanni, che ruba i ________ perché è un erede di Casanova. Dopo cena Olga e Antonio escono a fare quattro passi per la città. Antonio racconta ad Olga la storia di Casanova. Casanova era un famoso ________ ma anche un uomo molto intelligente. Venezia non apprezzava la sua condotta di vita e alla fine lo ha messo in prigione. Ma Casanova è riuscito a scappare e a lasciare Venezia. Anche Olga fra alcuni giorni dovrà ________ a Mosca. Antonio le dà un regalo con la promessa di aprirlo solo quando sarà lontana da Venezia. Antonio propone a Olga di andare a casa sua ma quando arrivano tutto è in ________. Il Casanova ha rubato la perla del Mediterraneo.

esercizi / episodio 6

uno **_Leggi il sesto episodio e rispondi alle domande._**

1. Olga va in aeroporto
☐ a. in taxi.
☐ b. in treno.
☑ c. in macchina.

2. Il commissario Lepre vuole parlare con Olga
☑ a. per scusarsi.
☐ b. per interrogarla.
☐ c. per farle una dichiarazione d'amore.

3. In aereo Olga capisce che il ladro è
☐ a. Giovanni.
☑ b. Antonio.
☐ c. il venditore di maschere.

4. Quando torna a casa sua Olga
☐ a. si addormenta.
☑ b. trova Antonio.
☐ c. telefona al commissario Lepre.

due **_Dove ha rubato i gioielli Casanova? Ricostruisci le frasi, come nell'esempio._**

	la corona della Moscova	*nel*	casa di Antonio Forner.
Casanova ha rubato	la perla del Mediterraneo	nella	*museo Correr.*
	il gioiello della Vergine	in	piazza San Marco.

Venezia è un pesce

Venezia è costruita su piccole isole ed è unita alla terraferma da un ponte ferroviario e da un ponte stradale. Ha la forma di un grosso pesce tagliato a metà dal Canal Grande.
È possibile muoversi con i vaporetti, molto utilizzati sia dai turisti che dai veneziani, ma l'esperienza più bella è sicuramente visitare la città a piedi. Tutti i sestieri, i quartieri di Venezia, sono infatti collegati da un vero e proprio labirinto di ponti e piccole strade che rendono la visita della città un'avventura indimenticabile.

Cosa ti piace fare quando visiti una città straniera? Usi una cartina o ti perdi nel labirinto della città?

Sì, google maps
Mi piace esplorare posti nuovi e provare cose nuove.

tre

Completa le battute con i pronomi della lista.

ci | ci | la | mi | mi | noi | si | vi

1

Può chiamar_mi_ un taxi, per favore?

_La_ possiamo accompagnare _noi_!

2

Dicono che a Venezia _si_ torna sempre. Arriveder_ci_ e buon viaggio.

Arriveder_ci_ commissario.

3

_Vi_ preghiamo di allacciare le cinture di sicurezza.

4

Che città meravigliosa. _Mi_ mancherà.

quattro

Completa le frasi con la forma corretta dei verbi essere ***o*** esserci ***(***c'è / ci sono***).***

a. L'articolo dice che nella storia dei furti _ci sono_ ancora molti dubbi.
b. L'articolo di Olga _è_ pieno di mistero.
c. I sospetti del commissario Lepre non _sono_ sempre giusti.
d. Quando Olga entra in casa sua, _c'è_ qualcuno che la aspetta.
e. Venezia non _è_ più una città sicura per Antonio.
f. Nel pacchetto che Olga apre in aereo _c'è_ la perla del Mediterraneo.

cinque

Completa le frasi coniugando al futuro semplice i verbi tra parentesi.

a. Olga: (*Usare*) ____________ questa maschera per l'inaugurazione di questa sera. Spero di non spaventare Antonio.

b. Commissario Lepre: Ora finalmente (*noi – sapere*) ____________ la verità.

c. Olga: Anch'io fra pochi giorni (*partire*) ____________ per Mosca.

d. Antonio: Apri il mio regalo quando (*essere*) ____________ lontana, così (*ricordarsi*) ____________ di Venezia.

Olga: Non (*essere*) ____________ facile dimenticare questa avventura.

e. Olga: Venezia è una città meravigliosa! Mi (*mancare*) ____________.

f. Antonio: Venezia non è più sicura per me! Prima o poi tutti (*scoprire*) ____________ chi è il vero Casanova.

sei

Scrivi le parole della lista al posto giusto

sette

Guarda la vignetta, lascia libera la fantasia e scrivi nel balloon cosa sta pensando Olga.

Riassunto episodio 6

Completa il testo con le parole mancanti.

Dopo il furto della perla del Mediterraneo, Olga non ha più notizie di Antonio. Gli telefona molte volte ma lui non risponde. Lei continua a scrivere il suo articolo e alla fine arriva il giorno della sua partenza per Mosca. All'uscita dall'albergo, arriva il commissario Lepre per chiedere scusa per il suo comportamento poco gentile. Il commissario conferma che il ladro, secondo lui, è Giovanni, ma Olga ha ancora molti dubbi. Il commissario Lepre accompagna Olga all'aeroporto. In aereo Olga apre il regalo di Antonio: è la perla del Mediterraneo. La giornalista ricorda i momenti felici della sua visita a Venezia e si addormenta. Si sveglia a Mosca. Quando arriva a casa trova un uomo che la aspetta: è Antonio. Olga è sorpresa. Antonio le spiega che è stato lui a rubare i gioielli e le confessa di essere innamorato di lei.

Soluzioni

EPISODIO 1

1. 1/a; 2/c; 3/a; 4/a.
3. a. il finestrino; b. la lattina; c. la penna; d. il sedile; e. il telefonino; f. il giornale.
4. posso, posso, devi, Devo, puoi.
6. a. *Posso iniziare l'articolo con questo evento*; b. È la prima volta che vado a Venezia; c. Ho prenotato una stanza a mio nome; d. Domani c'è l'inaugurazione in piazza San Marco; e. Posso darti del tu?; f. Il programma inizia con il volo dell'Angelo.

Riassunto episodio 1: articolo, museo, mostra, stazione, albergo.

EPISODIO 2

1. 1/b; 2/c; 3/a; 4/c.
2. a. è andata; b. sono arrivata; c. ha rubato; d. ha perso.
3. 1/b; 2/d; 3/a; *4/c*.
5. 1. ora; 2. già, tra; 3. spesso; 4. di solito.
6. a. Al ladro; b. Accidenti; c. Fermi; d. Giù.
7. di, tra, per.

Riassunto episodio 2: prendere, inaugurazione, perde, Angelo, polizia.

EPISODIO 3

1. 7, 2, 6, 1, 4, 5, 3.
2. a.
3. a. il balcone; b. il portone; c. il canale; d. la bandiera; e. il pontile; f. la gondola.
4. a. *Il ladro* di gioielli usa la stessa maschera del famoso seduttore *veneziano.*; b. *Ma secondo me non è un vero ladro: è un nipote di Casanova.* Quei gioielli devono tornare *alla* sua famiglia, *non andare* in *un* museo.
5. a. *Ho comprato una maschera. La userò per l'inaugurazione*; b. Vado da Antonio questa sera. Spero di non spaventarlo; c. Ho chiamato Antonio. Gli ho detto quello che ho visto; d. Il ladro ruba i gioielli. Li ruba perché devono tornare alla sua famiglia; e. Chissà se Antonio sa già del furto. Devo chiamarlo; f. Questa è la corona della Moscova. Casanova l'ha regalata a una sua amante di Mosca.
6. 1. questa; 2. quello; 3. quello.
7. 7, 8, 3, 6, 5, 2, 1, 4.

Riassunto episodio 3: furto, negozio, maschera, corona, fotografie.

EPISODIO 4

1. 1/*esce dal museo e segue i poliziotti – Olga*; 8/esce dalla Questura con Olga – Antonio; 2/prendono Giovanni – i poliziotti; 6/non crede alle teorie del commissario – Olga; 4/portano Olga in questura – i poliziotti; 5/fa alcune domande a Olga per vedere se conosce bene Giovanni – il commissario Lepre; 7/ad un certo punto arriva in questura – Antonio; 3/arriva e ordina ai poliziotti di arrestare Olga – il commissario Lepre.
2. 1. mio; 2. mio; 3. sua, loro.
3. a. attraversano, vanno; b. inseguono, segue; c. gira, arriva; d. prendono, portano.
4. *Questa* è la mia teoria. *Giovanni* ruba i gioielli perché *secondo* lui appartengono alla sua *famiglia*.
5. a. il ponte; b. la colonna; c. la barca; d. i gradini; e. il porticato.
6. Orizzontali: 1. San Marco, 4. maschera, 7. treno, 10. Serenissima, 11. volo; Verticali: 2. museo, 3. Gazzettino, 5. fotografo, 6. Lepre, 8. Mosca, 9. ciao.

Riassunto episodio 4: poliziotti, commissario, questura, indizio, Antonio.

EPISODIO 5

1. 1/vero; 2/falso; 3/ falso; 4/ vero; 5/vero; 6/vero; 7/falso.
2. Casanova era molto conosciuto a Venezia. Molte persone non accettavano la sua condotta immorale. Casanova era un famoso seduttore. Ma era anche un uomo colto e intelligente. Alla fine i veneziani lo hanno messo in prigione. Ma Casanova è riuscito a scappare e ad andare in Francia.
3. 1. Guarda; 2. Aprilo; 3. Raccontami.
5. dopo, Per molto tempo, fa, Più tardi, alla fine.
6. 1/e; 2/d; 3/a; 4/c; 5/b; 6/f; 7/g. *Fanno parte del tesoro di Casanova:* la collana, la corona, la perla.

Riassunto episodio 5: cena, teoria, gioielli, seduttore, tornare, disordine.

EPISODIO 6

1. 1/c; 2/a; 3/b; 4/b.
2. Casanova ha rubato – *la corona della Moscova nel museo Correr/*la perla del Mediterraneo a casa di Antonio Forner/il gioiello della Vergine in piazza San Marco.
3. 1. *chiamar*mi, La, noi; 2. si, *Arrivederci*, *Arrivede*rci; 3. Vi; 4. Mi.
4. a. ci sono; b. è; c. sono; d. c'è; e. è; f. c'è.
5. a. Userò; b. sapremo; c. partirò; d. sarai, ti ricorderai, sarà; e. mancherà; f. scopriranno.
6. a. la camicia; b. la cravatta; c. l'impermeabile; d. il colletto; e. il bottone; f. la cintura.

Riassunto episodio 6: perla, articolo, chiedere, aeroporto, momenti, rubare.